유모차 나들이

미셸 게 글 · 그림/최윤정 옮김

비룡소

"나비 너 때문에 깼잖아.
왜 그러니?"
"날아다니기만 하니까 피곤해.
쉬는 거야."

비분데에게

미셸 게는 1947년 프랑스 리옹에서 태어났다. 그래픽 디자인 학교에 다니면서 그림책을 처음 펴냈고,
정식으로 출간된 『꼬마 사냥꾼과 코끼리』는 5만 부가 넘게 팔렸다. 딸 발랑틴과 아들 가브리엘에게서 영감을 얻어 만든
『발랑틴』과 「펭귄 비분데」 시리즈를 비롯해서 독창적이면서도 단순한 이야기들로 된 그림책 수십 권을 펴냈다.

최윤정은 연세대학교와 파리3대학에서 불문학을 공부하였다. 현재 중앙대학교에서 강의를 하고 있으며, 어린이 문학 평론가로 활동하고 있다.
어린이 책 비평집인 『책 밖의 어른 책 속의 아이』, 『슬픈 거인』, 『미래의 독자』를 썼으며,
우리말로 옮긴 어린이 책은 『칠판 앞에 나가기 싫어』, 『놀기 과외』, 『거짓말을 먹고 사는 아이』 등 수십여 권이 있다.

비룡소의 그림동화 53

유모차 나들이 미셸 게 글 · 그림 / 최윤정 옮김

1판 1쇄 펴냄—1999년 3월 17일, 1판 15쇄 펴냄—2005년 8월 4일
펴낸이 박상희 펴낸곳 (주)비룡소 출판등록 1994. 3. 17.(제16-849호)
주소 135-887 서울시 강남구 신사동 506 강남출판문화센터 4층
전화 영업(통신판매) 515-2000(내선 1) 팩스 515-2007 편집 3443-4318~9 홈페이지 www.bir.co.kr
값 7,000원
ISBN 89-491-1051-2 77860 / ISBN 89-491-1000-8(세트)

"그럼 그냥 가만히 있어. 내가 유모차 태워 줄게."

"어어, 나비야 왜 날아가는 거야?"
"개구리 때문에 무서워서 그래."

"얌체같이! 너도 유모차 타고 싶어서 그러지?"

"꽤액 꽤액 거위 나가신다!
꽤액 꽤액 거위 나가신다!"

“시끄럽게 하지 마, 알았단 말이야. 좋아, 거위 너 타!”

“에게, 거위 바보네. 쬐그만 고양이가 뭐가 무섭다고!
할 수 없지! 차례차례 태워 줄게.”

"자, 잘 타 봐. 내 우유는 다 마시지 마, 응?"

"야옹, 야아옹! 아가야, 안녕. 나 그냥 갈래……
여우가 나타났어. 네 기저귀 냄새를 맡나 봐."

“그만 좀 해! 너희들이 자꾸 무섭다고 그러니까, 내가 힘들잖아!”

“아가야, 까꿍! 나, 곰이다!”

"에이, 곰 바보! 나, 이제 우유도 못 마시잖아."
"아야, 아야야. 아가야, 나 엉덩이 아프다!"

“알겠어. 그럼 딱 한 바퀴만 태워 준다. 있지...... 근데......”

“너무 잠이 와…….”

"얘들아, 다 어디 갔니?
곰아…… 고오옴아……, 여우야…… 여우야아!
야아옹아아, 거위야, 개구우리이야……
나비이이야, 나비…… 비이…… 이이……"

“잉...... 엄마아!”

“아가야, 울지 마, 우리가 있잖아. 같이 놀아 줄게.”

"우리, 너네 엄마 찾으러 가자. 자, 이번엔 우리가 밀어 준다!"

"씨융, 씨융, 씨융!
야호, 신난다!"

"됐다, 여기다!
다 왔다.
아가야, 안녕!"

"어이쿠, 우리 아기가 엄마한테 오고 싶었어?"

"엄마, 뽀뽀! 자, 이제 유모차 타고 한 바퀴 돌까?"